D1073955

Si la Terre était un village

Un livre sur les peuples du monde

Si la Terre était un village

Un livre sur les peuples du monde

Écrit par David J. Smith

Illustré par Shelagh Armstrong

Traduction de Gabriel Meunier

Remerciements

Les efforts, l'aide et l'appui de plusieurs personnes ont été nécessaires à la publication de ce livre. Jill Kneerim et Paulette Kaufmann en ont vu la valeur dès 1992. J'ai reçu une aide inestimable de Barbara Bruce Williams, mon agent. Val Wyatt, mon éditeur, a survolé inlassablement les 14 manuscrits, n'abandonnant jamais l'espoir de nous voir trouver les bonnes combinaisons. Pat Wolfe mérite une mention spéciale pour tout ce qu'elle a fait. Mais avant tout, ce livre est pour Suzanne, mon rayon de soleil et ma *bella luna*, qui a toujours cru en moi.

Les illustrations de ce livre ont été faites à l'acrylique.
Le texte est imprimé en Bodoni.

Édité par Valerie Wyatt
Conception graphique de Marie Bartholomew

Imprimé à Hong-Kong, Chine, par Wing King Tong Company Limité

Table des matières

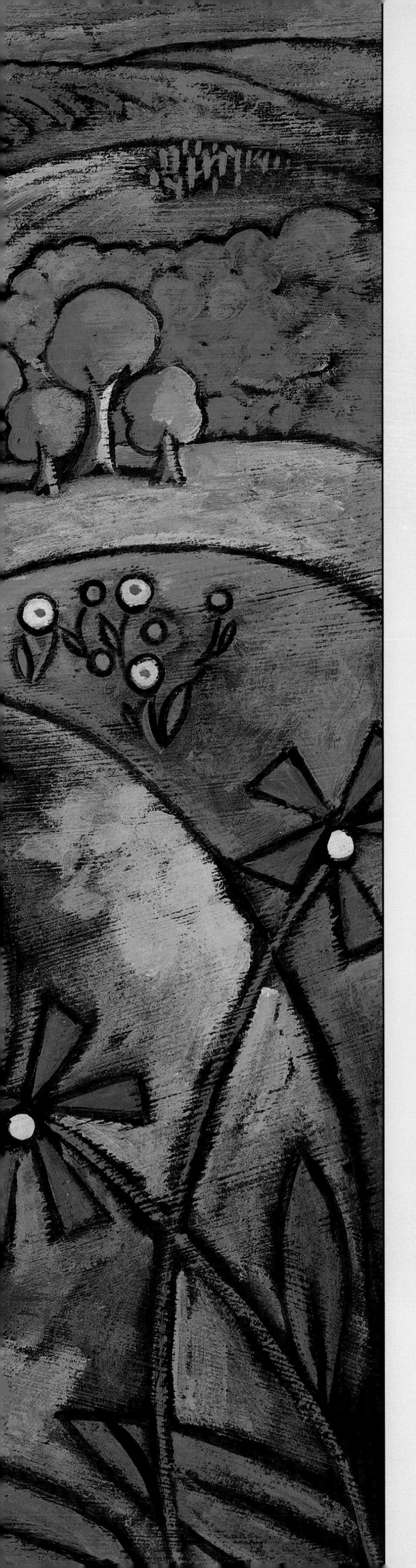

Bienvenue dans le village planétaire.

Il y a foule sur terre, et cette foule grandit sans cesse. Le 1er janvier 2002, la population mondiale était de 6 milliards, 200 millions – en chiffres, ça fait 6 200 000 000. Vingt-trois pays ont plus de 50 millions (50 000 000) de citoyens. Dix pays ont chacun plus de cent millions (100 000 000) de citoyens. Il y a près d'un milliard trois cents millions (1 300 000 000) d'habitants en Chine.

Des chiffres d'une telle ampleur sont difficiles à figurer, mais si on faisait semblant que la population mondiale était un village de cent personnes ? Dans ce village imaginaire, chaque individu représenterait environ 62 millions (62 000 000) de personnes du monde réel.

Cent personnes seraient bien à l'aise dans un petit village. En apprenant sur les villageois – qui ils sont et comment ils vivent – on peut sûrement découvrir plus sur nos voisins du monde réel et les problèmes qui pourraient menacer notre planète dans le futur.

Prêt à entrer dans le village planétaire ? Descendons dans la vallée et traversons les portes. L'aube chasse les dernières ombres de la nuit. Une odeur de feu de bois flotte dans l'air. Un bébé s'éveille et pleure... Allons rencontrer les gens du village planétaire.

Les nationalités

Le village se secoue et s'éveille au soleil, prêt pour une autre journée. Qui sont les gens du village planétaire ? D'où viennent-ils ?

Sur les 100 personnes du village planétaire :

61 viennent d'Asie.
13 viennent d'Afrique.
12 viennent d'Europe.
8 viennent d'Amérique du Sud, d'Amérique centrale (si on y ajoute le Mexique) ou des Caraïbes.
5 viennent du Canada ou des États-Unis.
1 vient d'Océanie (une région englobant l'Australie, la Nouvelle-Zélande et les îles du sud, de l'ouest et du centre du Pacifique).

Plus de la moitié des personnes dans le village planétaire viennent d'un des 10 pays les plus populeux :

21 viennent de Chine.
17 viennent de l'Inde.
5 viennent des États-Unis.
4 viennent d'Indonésie.
3 viennent du Brésil.
3 viennent du Pakistan.
2 viennent de Russie.
2 viennent du Bangladesh.
2 viennent du Japon.
2 viennent du Nigeria.

Langues

« Ni hao ma ! » « Hello ! » « Namaste ! » « Zdrazvoodyeh. » « Hola ! » « Ahlan. » « Selamat pagi. » Les villageois se saluent dans une multitude de langues. Quelles langues parle-t-on dans le village planétaire ?

Dans le village planétaire, il y a presque 6 000 langues, mais plus de la moitié des villageois parlent l'une de ces huit langues :

22 parlent un dialecte chinois – dont 18 parlent mandarin.
9 parlent anglais.
8 parlent hindou.
7 parlent espagnol.
4 parlent arabe.
4 parlent bengali.
3 parlent portugais.
3 parlent russe.

Si tu pouvais dire allo dans ces 8 langues, tu pourrais saluer plus de la moitié des gens dans le village.

Hello!
Ahlan
¡Hola!

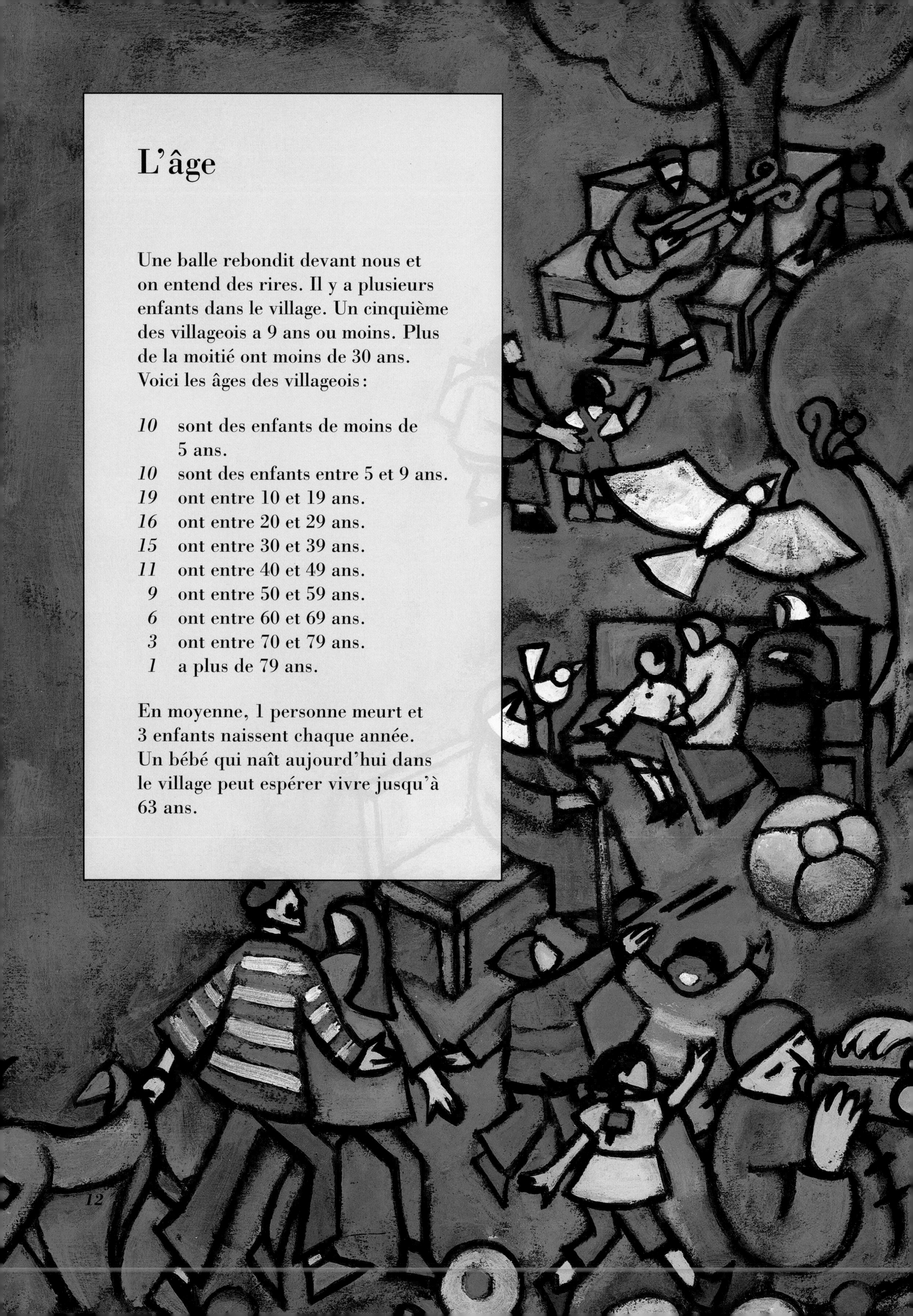

L'âge

Une balle rebondit devant nous et on entend des rires. Il y a plusieurs enfants dans le village. Un cinquième des villageois a 9 ans ou moins. Plus de la moitié ont moins de 30 ans. Voici les âges des villageois :

10 sont des enfants de moins de 5 ans.
10 sont des enfants entre 5 et 9 ans.
19 ont entre 10 et 19 ans.
16 ont entre 20 et 29 ans.
15 ont entre 30 et 39 ans.
11 ont entre 40 et 49 ans.
9 ont entre 50 et 59 ans.
6 ont entre 60 et 69 ans.
3 ont entre 70 et 79 ans.
1 a plus de 79 ans.

En moyenne, 1 personne meurt et 3 enfants naissent chaque année. Un bébé qui naît aujourd'hui dans le village peut espérer vivre jusqu'à 63 ans.

Les religions

La cloche sonne à l'église, un gong vibre dans un temple pendant que le muezzin fait l'appel à la prière au minaret de la mosquée. Les villageois sont appelés au culte.

Quelles religions pratiquent-ils? Dans le village, sur les 100 personnes:

32 sont chrétiennes.
19 sont musulmanes.
13 sont hindoues.
12 pratiquent le shamanisme, l'animisme ou d'autres religions folkloriques.
6 sont bouddhistes.
2 appartiennent à d'autres grandes religions, comme le baha'isme, le confucianisme, le shintoïsme, le sikhisme ou le jaïnisme.
1 est juive.
15 sont non religieuses.

La nourriture

Les odeurs et les sons du marché nous attirent. Les tables sont couvertes de pain frais, de légumes, de tofu et de riz. Les poulets caquettent et les canards cancanent. Dans un enclos, une vache meugle vers les passants.

Les villageois ont plusieurs animaux. Ils aident à produire la nourriture ou sont eux-mêmes la nourriture. Il y a :

31 moutons et chèvres.
23 vaches, taureaux et veaux.
15 cochons.
3 chameaux.
2 chevaux.
189 poulets – oui, il y a presque deux fois plus de poulets que de citoyens dans le village planétaire !

Il ne manque pas de nourriture dans le village. Si les denrées étaient distribuées équitablement, tout le monde aurait assez à manger. Mais la nourriture n'est pas répartie également. Même s'il y a assez de nourriture pour tous les villageois, tout le monde n'est pas toujours bien nourri :

60 personnes ont toujours faim, et 26 de ces dernières souffrent de malnutrition.
16 autres personnes se couchent affamées au moins de temps à autre.

Seulement 24 personnes ont toujours assez à manger.

L'air et l'eau

Dans la plus grande partie du village, l'air et l'eau sont propres. Mais tous les villageois ne sont pas si chanceux. Pour certains, l'air et l'eau sont corrompus par la pollution, les exposant à la maladie. Ou encore l'eau leur manque. Plutôt que d'ouvrir un robinet, certains villageois doivent marcher sur de grandes distances pour trouver de l'eau saine.

De l'air frais et de l'eau potable sont des nécessités. Combien, des 100 villageois, ont de l'air propre et une source d'eau buvable à proximité ?

75 ont accès a de l'eau de bonne qualité dans leur maison ou très proche. Les 25 autres n'y ont pas accès et doivent passer une bonne partie de leur journée simplement pour aller chercher une eau saine. Ce sont surtout les femmes et les filles qui s'occupent d'aller chercher l'eau.

60 ont accès à des installations sanitaires – ils ont un système d'égout privé ou public – et 40 n'y ont pas accès.

68 respirent de l'air frais, alors que 32 respirent un air vicié par la pollution.

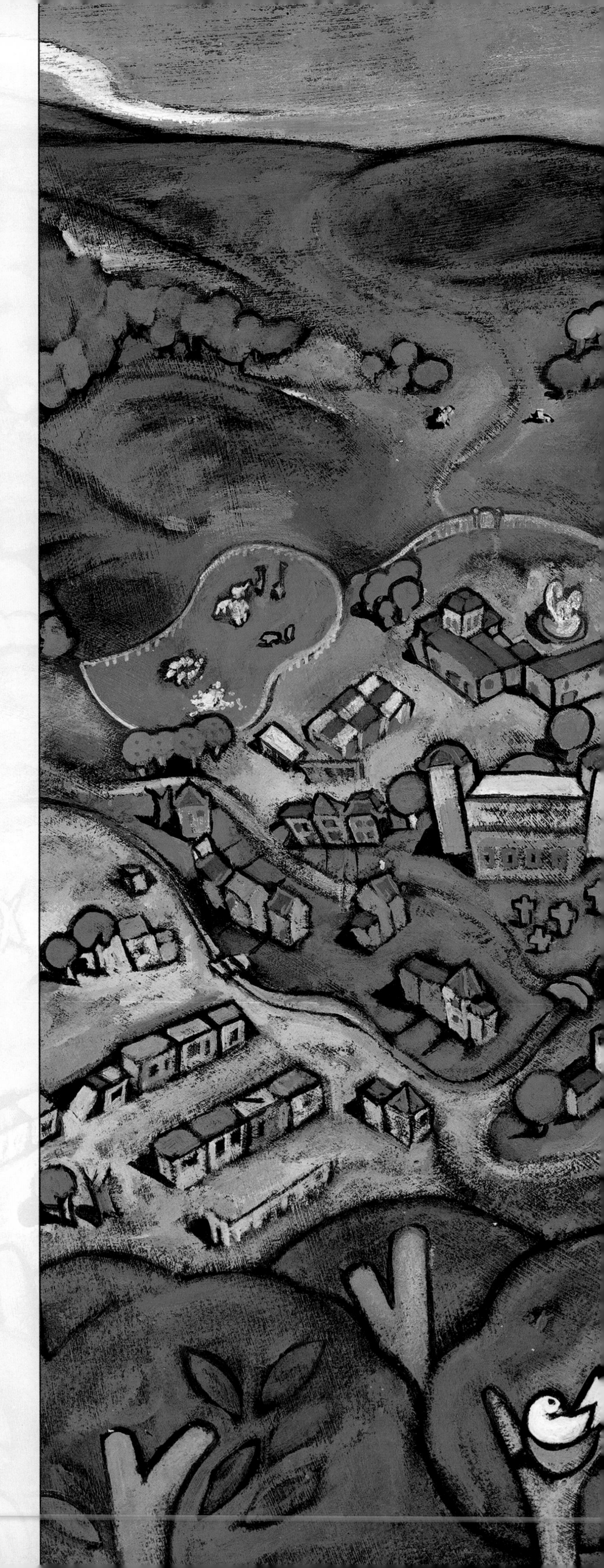

6-3
21-17

La scolarité et l'alphabétisation

Une cloche indique l'heure de l'école aux enfants du village. Mais pour certains, il n'y a pas d'école où aller, ou ils doivent travailler, pour aider leur famille à se nourrir.

Combien des 100 personnes du village vont à l'école?

Il y a 38 villageois en âge d'étudier (de 5 à 24 ans), mais seulement 31 vont à l'école. Il y a un professeur pour ces étudiants.

Tout le monde n'est pas encouragé à apprendre à lire, à écrire et à réfléchir dans le village planétaire. Des 88 personnes assez vieilles pour lire, 71 peuvent lire au moins un peu, mais 17 ne le peuvent pas du tout. Plus d'hommes que de femmes se font enseigner à lire.

L'argent et les biens matériels

Dans une partie du village, un homme achète une nouvelle voiture. Dans une autre, un père répare la bicyclette familiale, leur bien le plus cher.

Combien d'argent ont les individus dans le village planétaire ?

Si on séparait l'argent entre tous les villageois, chacun gagnerait environ 6 200 dollars par année. Mais dans le village planétaire, l'argent n'est pas réparti également.

Les 20 personnes les plus riches ont plus de 9 000 dollars par année.

Les 20 plus pauvres ont moins d'un dollar par jour.

Les 60 autres se situent entre les deux.

Le coût annuel moyen de la nourriture, du logement et des autres nécessités de base dans le village est de 4 000 à 5 000 dollars par année. Bien des gens n'ont pas assez d'argent pour subvenir à ces besoins de base.

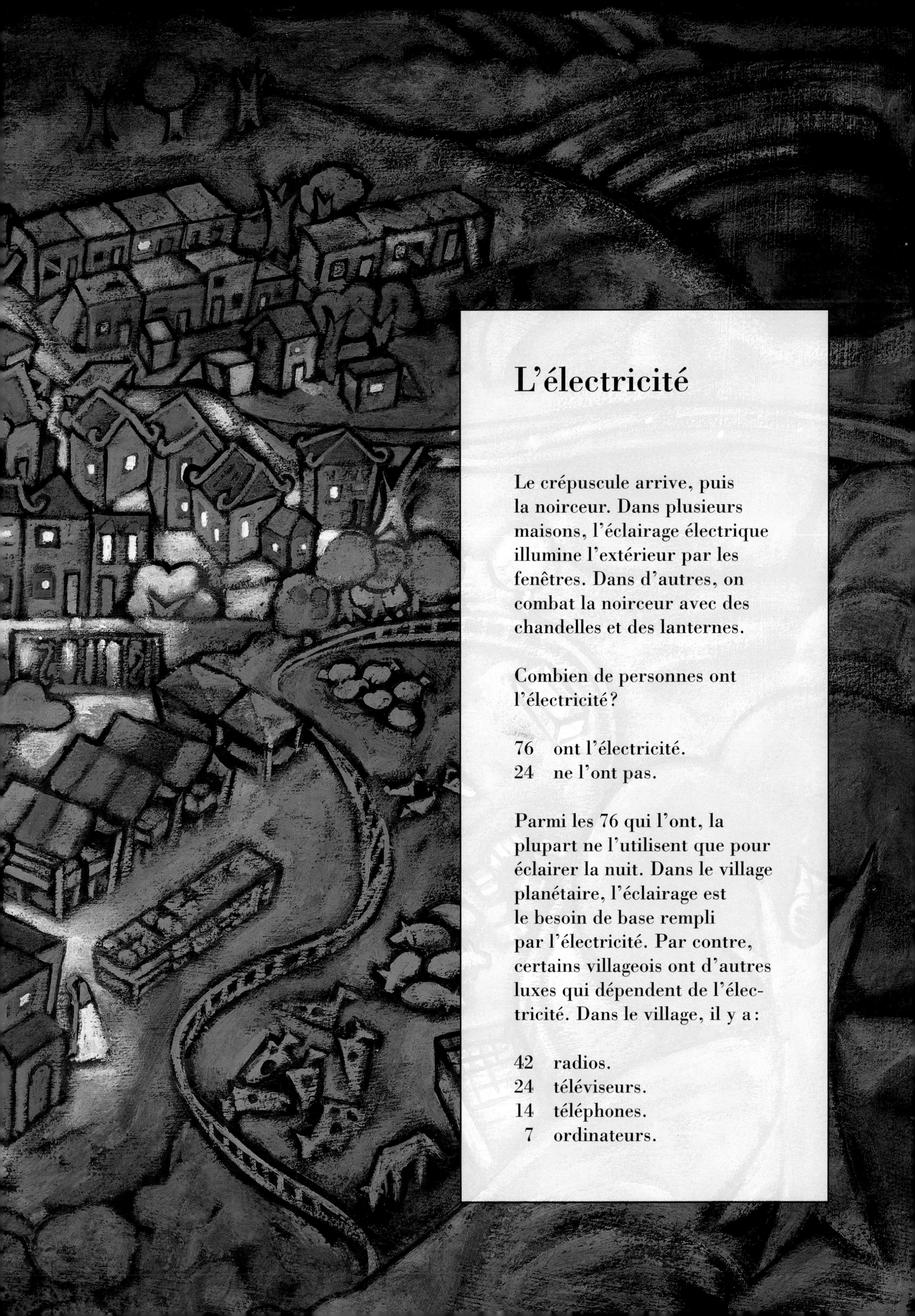

L’électricité

Le crépuscule arrive, puis la noirceur. Dans plusieurs maisons, l’éclairage électrique illumine l’extérieur par les fenêtres. Dans d’autres, on combat la noirceur avec des chandelles et des lanternes.

Combien de personnes ont l’électricité ?

76 ont l’électricité.
24 ne l’ont pas.

Parmi les 76 qui l’ont, la plupart ne l’utilisent que pour éclairer la nuit. Dans le village planétaire, l’éclairage est le besoin de base rempli par l’électricité. Par contre, certains villageois ont d’autres luxes qui dépendent de l’électricité. Dans le village, il y a :

42 radios.
24 téléviseurs.
14 téléphones.
7 ordinateurs.

1000 av. J.-C.
500 av. J.-C.
1
1650
1500
1900
1800

Le village par le passé

Aujourd'hui, 100 personnes vivent dans le village planétaire. Combien y en avait-il auparavant?

En 3 000 ans, la population du village planétaire a doublé cinq fois, d'une personne à deux personnes, à quatre, à huit, puis à 16, et à 32.

Vers l'an 1000 av. J.-C., une seule personne vivait dans le village.

En l'an 500 av. J.-C., deux personnes vivaient dans le village.

En l'an 1 après J.-C., trois personnes vivaient dans le village.

En l'an 1000, cinq personnes vivaient dans le village.

En 1500, huit personnes vivaient dans le village.

En 1650, 10 personnes vivaient dans le village.

En 1800, 17 personnes vivaient dans le village.

En 1900, 32 personnes vivaient dans le village.

En 2002, 100 personnes vivent dans le village.

Le village dans le futur

Comment sera notre village dans le futur? À quelle vitesse grandira-t-il? Combien de personnes y habiteront?

Aujourd'hui, il s'ajoute un peu moins de deux personnes par année à la population du village. En fait, le taux de croissance est d'environ 1,6 pour cent par année. Si le village compte 100 personnes en 2002, il en comptera presque 102 en 2003.

Voici ce qui arrivera si le village continue à grandir à la même vitesse:

En 2050, il y aura environ 200 personnes.
En 2100, il y aura environ 400 personnes.
En 2150, il y aura environ 800 personnes.
En 2200, il y aura environ 1 600 personnes.
En 2250, il y aura environ 3 200 personnes.

Dans le passé, il a fallu 3 000 ans pour que la population double cinq fois, de un à deux, à quatre, à huit, à 16, à 32. Dans le futur, la population doublera cinq fois en seulement 250 ans.

Un village planétaire de 3 200 personnes serait un endroit très populeux, où seraient répandus le manque de nourriture, de logements et d'autres nécessités.

De toute façon, tout le monde ne croit pas que le village va croître à cette vitesse, et plusieurs groupes, comme l'Organisation des Nations Unies, travaillent fort pour s'assurer que le village du futur sera un bon endroit pour tous les gens qui y habiteront.

Apprendre aux enfants sur le village planétaire

Ce livre présente une conscience mondiale, une attitude, une approche de la vie. C'est la conscience que notre planète est réellement un village, et que nous partageons ce précieux petit village avec nos voisins. Le fait de savoir qui sont nos voisins, où et comment ils vivent, nous aidera à vivre en paix.

Comment les parents, les professeurs et les dirigeants peuvent-ils inculquer la conscience mondiale aux enfants ? Mon expérience d'enseignement et de groupes de travail avec les enfants autour du monde m'a appris quelque chose. Voici quelques exemples et pistes d'activités que vous voudrez peut-être essayer.

• Assurez-vous d'abord que les enfants ont la carte du monde en tête. Une bonne assimilation de la géographie mondiale instaure une base pour la discussion avec les personnes d'autres régions, pays et cultures ou sur celles-ci.

Ayez une bonne carte du monde, à jour, en évidence sur un mur. Vous pourrez vous y référer pour montrer un endroit dont on a parlé aux nouvelles, des pays où des amis ou des connaissances sont en voyage, les régions où l'action des livres se déroule, et ainsi de suite. Aussi, si possible, ayez au moins un atlas avec un bon index, pour que vous et vos enfants puissiez trouver des régions et explorer le monde plus facilement.

Jouez à des jeux géographiques en voyageant en voiture, pendant les repas, avant l'école – dans n'importe quel moment libre. Par exemple, essayez « Au suivant », un jeu dans lequel une personne doit nommer deux pays, provinces ou états contigus, et l'autre personne doit trouver quel est le prochain lieu contigu. Par exemple, si le premier joueur dit « Canada, États-Unis, » le second dirait « Mexique », puisque partant du Canada vers les États-Unis, le pays suivant de mon voyage serait le Mexique. Joueur 1 : « Inde, Népal, » joueur 2 : « Chine » ; 1 : « Libéria, Côte d'Ivoire, » 2 : « Ghana. »

« Capitale/pays » est un autre bon jeu. Une personne nomme une capitale ou un pays et l'autre joueur doit nommer le pays ou la capitale manquant. Par exemple, le premier jouer dit « Lituanie », et le second doit nommer la capitale, Vilnius. Joueur 1 : « Astana », joueur 2 : « Kazakhstan ».

Ou jouez à « Détails », dans lequel un joueur nomme un pays et les autres doivent donner des informations. Par exemple, pour l'Italie, on pourrait dire : la capitale est Rome ; la langue est l'italien ; contigu à la France, la Suisse, l'Autriche et la Slovénie ; à l'est se trouve la mer Adriatique, à l'ouest, la mer Tyrrhénienne et au sud sont les mers Méditerranée et Ionienne ; Saint-Marin et le Vatican sont deux pays qui y sont enchâssés.

Le plus important est de poser constamment des questions : où cela se trouve-t-il ? Où habitent-ils ? Quelle langue parlent-ils ? Comment est-ce là-bas ?

• Faites le lien entre apprendre et vivre. Si la connaissance du planisphère est le premier pas primordial, il est essentiel de faire faire aux enfants des activités les mettant en contact avec les gens d'autres cultures. Cela peut être fait physiquement ou à distance, par Internet, la correspondance physique ou par courriel, le clavardage, et encore bien d'autres ressources.

Plusieurs sites dans la toile ont été construits dans cet objectif. Vous trouverez des liens vers ces sites sur les grands portails et les moteurs de recherche, tel Yahoo ! (http ://www.yahoo.fr), ou venez voir notre site du village planétaire (http ://www.mappEng.com/gv) pour des informations mises à jour et des liens.

Si vous n'avez pas accès à Internet, ou ne désirez pas l'utiliser, essayez le jeu du réseau. Dites à un enfant d'envoyer une lettre à quelqu'un en Israël, par exemple, en envoyant cette lettre à une personne connue qui pourrait être en lien avec une autre de cette région. Est-ce possible de rendre la lettre à destination en transitant seulement par six personnes ? Demandez au destinataire de vous réécrire pour expliquer comment la lettre lui est parvenue.

Faites s'associer l'école de votre enfant avec une école d'un autre pays.

Si votre communauté est partenaire avec une autre ailleurs dans le monde, recueillez de l'information de votre municipalité et écrivez à votre communauté jumelle.

• Aidez les enfants à apprendre comment identifier ce qu'ils ne connaissent pas. En étudiant le monde et ses peuples, pensez à des réponses possibles, pas seulement aux bonnes réponses. Pensez aussi à des questions ouvertes dont les réponses ne sont pas connues. La discussion de telles questions est une excellente façon d'apprendre aux enfants comment penser en citoyen. Voici quelques exemples de questions pour commencer :

S'il y a réellement assez de nourriture dans le monde, pourquoi certains vivent-ils encore dans la faim?

Qu'est-ce qu'un pays? Pourquoi tant de nouveaux pays demandent-ils l'autonomie?

Pourquoi tant de personnes veulent-elles vivre ailleurs? Vers où les personnes émigrent-elles?

Quelles formes de gouvernement ont différents pays? Pourquoi y a-t-il tant de formes de gouvernement? Quels sont les avantages et désavantages de chacun? Vous pouvez obtenir des informations spécifiques sur les différents types de gouvernement par bien des sources. Plusieurs de ces sources sont données à la page 32.

Que pensez-vous que l'on pourrait faire pour ralentir le taux de croissance de la population mondiale?

• Encouragez la conscience mondiale: prenez soin de vos voisins. Ne brisez pas la confiance dans votre communauté. Le service est une part importante de ce que fait chaque citoyen. Faire partie d'une équipe est important.

Il n'y a pas d'activité ou de formule secrète, seulement une vérité: si nous avons le bon comportement, nos enfants suivront notre exemple.

• Encouragez la passion. Faites tout ce qui est nécessaire pour que les enfants deviennent passionnés par leur monde, pour qu'ils découvrent leurs passions et construisent avec elles et sur elles, et apprennent par elles et sur elles. Les gens qui régleront la crise mondiale dans 30 ans sont les enfants d'aujourd'hui. Nous serons en fait très, très chanceux s'ils vivent dans une maison ou vont dans une classe où ils acquièrent la passion pour le voyage, les pays, l'exploration, la culture et la lecture.

Les enfants apprennent sur la passion en la voyant en action. Par quoi êtes-vous passionnés? Comment pouvez-vous inclure vos enfants dans les activités qui vous passionnent?

Assurez-vous que vos enfants voient votre amour pour les cartes et les voyages, votre intérêt pour les nouvelles des autres parties du monde et votre curiosité envers les autres gens, cultures et langues. Ils ne suivront peut-être pas votre propre passion, mais ils apprendront ce que c'est que de donner une grande importance à quelque chose. Si les enfants expriment un grand intérêt envers quelque chose, aidez-les à continuer et à apprendre davantage.

D'une certaine façon, toutes les opportunités de connections planétaires par courriel et télévision rendent le rêve d'un monde unifié encore plus proche que par le passé. Mais d'un autre point de vue, la partie de la réalisation est plus dure que jamais, particulièrement lorsqu'on considère que le rêve planétaire demande aussi un logement et une nourriture adéquate pour tous, l'alphabétisation universelle, l'élimination des sources d'eau dangereuses, des sources abondantes d'énergie sécuritaire. Ces buts pourront être atteints seulement si on stabilise la population. Le 16 juin 1999 était le jour des six milliards, et la population continue de croître de 100 millions de personne par année.

Comprendre la géographie, la Terre et les peuples qui y vivent – où, pourquoi et comment – est un bon point de départ. Par contre, nous n'avons pas seulement besoin de faits, mais d'une façon de considérer le monde qui nous permet de suivre clairement le déroulement des événements. Nous avons besoin de développer une conscience mondiale et d'encourager cette attitude chez nos enfants.

David J. Smith

Une note sur les sources et le système de calcul

S'il y a 6,2 milliards de personnes dans le monde, alors dans notre village de 100 personnes, chaque individu en représente 62 millions. Chaque fois qu'une fraction de personne est apparue dans notre village, elle a été arrondie au nombre entier le plus proche.

Plusieurs livres et ressources différents ont été utilisés pour collecter les données sur les gens de notre village planétaire. Les statistiques étaient souvent surprenantes d'elles-mêmes. Aussi, il y avait une autre surprise intéressante : toutes les sources ne s'accordaient pas.

S'il y a un consensus général pour la plupart des statistiques contenues dans ce livre, il y a une bonne variation d'une année à l'autre et d'une source à l'autre. La mésentente la plus notable relève des prédictions de croissance de la population, mais il y avait aussi divergence sur l'accessibilité à la nourriture, à l'éducation ainsi qu'à l'air sain et à l'eau propre.

Chaque fois que ce fut possible, les statistiques les plus récentes ont été utilisées ; lorsque nécessaire, des moyennes et des extrapolations ont été faites à partir d'information connexe.

Parmi les sources utilisées figurent les rapports et publications annuels suivants :

Rapport WP/91 à WP/98, World Population Profile: 1991 to 1998. U.S. Census Bureau. Washington, D.C. : U.S. Government Printing Office, 1991-1998 (http ://www.census.gov/ ipc).

State of the World : A Worldwatch Institute Report on Progress toward a Sustainable Society. Linda Starke, ed. New York : W.W. Norton & Co., 1994-2001 (http ://www.worldwatch.org).

The Central Intelligence Agency World Factbook. Washington, D.C. : Government Printing Office, 1992-2001 (http ://www.odci.gov/cia/ publications/factbook).

The Information Please Almanac. Otto Johnson, ed. Boston : Houghton Mifflin, 1996-1998 (http ://www.infoplease.com).

The New York Times Almanac. John W. Wright, ed. New York : Penguin Putnam, 1997-2001.

The State of the World's Children. Carol Bellamy, ed. New York : United Nations Publications, 1996-2000 (http ://www.unicef.org).

The Time Almanac. Borgna Brunner, ed. Boston : Information Please LLC, 1999-2001.

The United Nations Human Development Report. United Nations Development Programme. New York : United Nations Publications, 1992-1998 (http ://www.un.org).

The Universal Almanac. John W. Wright, ed. New York : Andrews & McMeel, 1992-1996.

The World Almanac and Book of Facts. Robert Famighetti, ed. New Jersey : World Almanac Books, 1996-2001.

The World Development Report. World Bank. New York : Oxford University Press, 1992-2001 (http ://www.worldbank.org).

World Resources : A Report by the World Resources Institute in collaboration with the United Nations Environment Programme and the United Nations Development Programme. New York : Oxford University Press, 1992-1993 to 1998-1999 (http ://www.wri.org).

Vital Signs, The Environmental Trends That Are Shaping Our Future. Worldwatch Institute. Linda Starke, ed. New York :

W.W. Norton & Co., 1992-1998 (http ://www.worldwatch.org).

J'ai aussi utilisé plusieurs brochures et imprimés de l'Organisation des Nations Unies pour l'alimentation et l'agriculture et d'autres agences des Nations Unies, trouvés grace au site Internet de l'ONU (http ://www.un.org) et celui du U.S. Census Bureau (http ://www.census.gov).

Les livres et atlas suivants m'ont aussi fourni des informations :

The Economist Pocket World in Figures. The Economist. London : Profile Books, 1996.

The Economist World Atlas.

The Economist. London : Profile Books, 1996.

Goode's World Atlas. Edward B. Espenshade, Jr., ed. Chicago : Rand McNally, 1998. (Cet atlas est particulièrement utile car il comprend une section de bonnes cartes thématiques.)

Kurian, George T. The New Book of World Rankings. Chicago : Fitzroy Dearborn Publishers, 1994, p. 32.

McEvedy, Colin, and Richard Jones. The Atlas of World Population History. New York : Penguin Books, 1978.

The National Geographic Atlas of the World. Washington, D.C. : National Geographic Society, 1995.

The National Geographic Satellite Atlas of the World. Washington, D.C. : National Geographic Society, 1998.